MME CANAILLE,
plus canaille que jamais

Publié pour la première fois par Egmont sous le titre *Little Miss Naughty worries Mr Worry*.

Traduction : Anne Marchand-Kalicky.

MME CANALLE,
plus canaille que jamais

Roger Hargreaves

hachette
JEUNESSE

Madame Canaille était la plus canaille de toutes les canailles que je connaisse.

Rien qu'en une seule journée, elle était capable de nouer ensemble les lacets de monsieur Grand...

... de perdre monsieur Nigaud dans un labyrinthe...

... de dessiner sur la façade de la maison
de madame Follette...

...et même d'asticoter le ver de terre qui vivait au fond de son jardin.

Je pense que tu seras d'accord avec moi :
Madame Canaille était bien la plus canaille de toutes les canailles du monde entier.

Un jour, madame Canaille rencontra monsieur Inquiet.
– Venez ! Nous allons nous amuser ! suggéra-t-elle.
Monsieur Inquiet fut inquiet de répondre non,
et de contrarier madame Canaille.
Alors, il répondit oui.
Mais il était quand même inquiet car il ne savait pas trop ce que madame Canaille entendait par s'amuser.

Et comme tu as pu le voir, il avait plutôt raison d'être inquiet !

Madame Canaille l'emmena d'abord chez
monsieur Chatouille.
– Sonnons et allons nous cacher !
gloussa madame Canaille.
– Oh ! Je ne sais pas trop, hésita monsieur Inquiet.
Monsieur Chatouille est peut-être dans son bain.
– Ce serait encore mieux ! pouffa madame Canaille.

– Mais il serait tout mouillé, et alors il pourrait glisser par terre puis dévaler les escaliers. Il se cognerait la tête et il n'y aurait plus personne pour appeler un docteur puisque nous serions partis en courant !
expliqua précipitamment monsieur Inquiet.

Jusqu'à ce jour, madame Canaille ne s'était jamais posé autant de questions.
Mais quand elle repensa à ce que monsieur Inquiet avait dit, sonner à la porte de monsieur Chatouille et partir en courant ne lui parut finalement pas une si bonne idée.
– Venez ! décida-t-elle. J'ai une meilleure idée.

Ils se rendirent chez monsieur Malpoli.
– Dégonflons-lui ses pneus ! proposa madame Canaille avec malice.

Monsieur Inquiet sembla soudain très inquiet.
– Et si monsieur Malpoli ne remarquait pas que ses pneus étaient à plat avant de prendre le volant. Il pourrait tomber en panne au milieu de la route, juste au moment où un camion de pompier aurait besoin d'intervenir en urgence. Le camion ne pourrait pas passer et les pompiers ne pourraient pas éteindre le feu ! haleta monsieur Inquiet.

– Oh ! répondit madame Canaille.
Je n'avais pas pensé à cela.

Madame Canaille avait plein d'autres idées.
Mais dès qu'elle inventait une farce, monsieur Inquiet
trouvait une bonne raison d'être inquiet
et inquiétait madame Canaille à son tour.
Tu me suis ?

Ils décidèrent donc de ne pas pousser monsieur Bing en bas de la barrière, car il aurait pu rebondir sur un arbre puis sur une fleur, puis sur une maison sans jamais pouvoir s'arrêter.

Ils ne cachèrent pas non plus les billes
de madame Tête-en-l'air car elle aurait pu
s'égarer dans les bois en les cherchant...
Monsieur Inquiet n'osa pas imaginer la suite de ce qui
aurait pu arriver.

Madame Canaille était un peu désemparée.
Toutes ses merveilleuses et vilaines farces
partaient en fumée quand soudain,
elle eut à nouveau une autre idée…
Décidément, elle ne renonçait jamais.
– Bouh ! hurla-t-elle pour faire peur à monsieur Inquiet.
Surpris, monsieur Inquiet tomba à la renverse !

– Qu'est-ce qui vous prend ? Vous vous rendez compte de ce qui aurait pu m'arriver ?
J'aurais pu rouler en bas de la colline et tomber dans la rivière. J'aurais certainement pris froid et j'aurais dû rester au lit toute la semaine ! s'exclama monsieur Inquiet, totalement paniqué.
Madame Canaille le regarda longuement.

– Oui... mais ce n'est pas arrivé ! répliqua-t-elle.
Et elle s'enfuit en ricanant sottement de ses bêtises.

RÉUNIS VITE LA COLLECTION ENTIÈRE

1 MME AUTORITAIRE
2 MME TÊTE-EN-L'AIR
3 MME RANGE-TOUT
4 MME CATASTROPHE
5 MME ACROBATE
6 MME MAGIE
7 MME PROPRETTE
8 MME INDÉC

9 MME PETITE
10 MME TOUT-VA-BIEN
11 MME TINTAMARRE
12 MME TIMIDE
13 MME BOUTE-EN-TRAIN
14 MME CANAILLE
15 MME BEAUTÉ
16 MME SAC

17 MME DOUBLE
18 MME JE-SAIS-TOUT
19 MME CHANCE
20 MME PRUDENTE
21 MME BOULOT
22 MME GÉNIALE
23 MME OUI
24 MME POUR

25 MME COQUETTE
26 MME CONTRAIRE
27 MME TÊTUE
28 MME EN RETARD
29 MME BAVARDE
30 MME FOLLETTE
31 MME BONHEUR
32 MME VED

33 MME VITE-FAIT
34 MME CASSE-PIEDS
35 MME DODUE
36 MME RISETTE
37 MME CHIPIE
38 MME FARCEUSE
39 MME MALCHANCE
40 MME TERREUR
41 MME PRINC

DES **MONSIEUR MADAME**

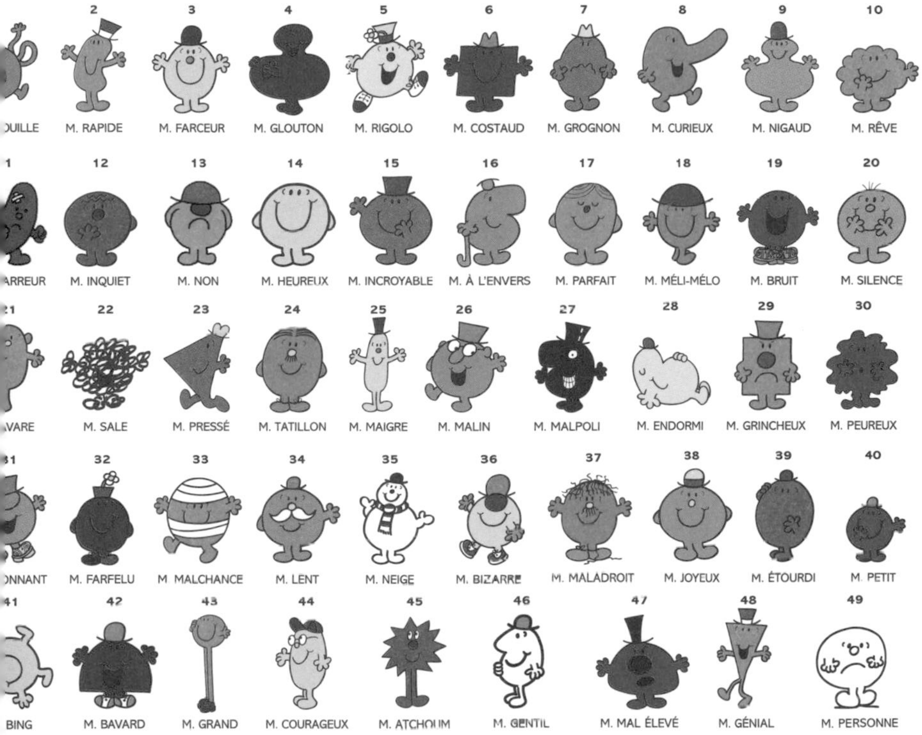

Édité par Hachette Livre – 43, quai de grenelle, 75905 Paris Cedex 15
ISBN : 978-2-01-227178-4
Dépôt légal : juillet 2012
Loi n°49-956 du 16 juillet 1949 sur les publications destinées la jeunesse.
Imprimé par IME (Baume-les-Dames), en France.